Fenten Feryl
Drolla Marner

Virgil's Fountain
A Seafarer's Tale

A poem in Cornish
Tim Saunders

Dhe gov
CMX 504103
ha tus an woen las

In memory of
CMX 504103
and the seafarers

This bilingual edition first published by
Francis Boutle Publishers
272 Alexandra Park Road
London N22 7BG
Tel 020 8889 8087
Email: info@francisboutle.co.uk
www.francisboutle.co.uk

Fenten Feryl/Virgil's Fountain © TimSaunders, 2019

ISBN 978 1 9164906 4 2

Aswonn gras/Acknowledgements

Da genev aswonn gras rag kusulow yn kever an dhiwdestenn dhe'w howetha dha Skogynn Pryv ha Dren Rudh rag Kernewek ha Sowsnek a-gettep.

I acknowledge with gratitude the advice of my good friends Mick Paynter, in respect of the Cornish text, and Clive Boutle in respect of the English.

Tim Saunders

Y'n termyn usi tremmenys, yth esa trigys yn Itali den Feryl a y
hanow, y'n tyller henwys Mantow. Bardh o ev, yn-kurunys a dhel
herwydh gis berdh a vri, yn-unn gana yn kever arvow ha
gorholyon, a dhenyon ha benenes, hag a'n pyth a via y'n termyn a dheu.

Pur dhyskys yn gramer ha dargana ydh o Feryl, hag y skrifas ev
lyvrow yn-dan edya tus bys y'n jydh hedhyw. Yth hembronkya ev tus
dre goesow tywl, ha diskwedhes dhedha gwlaskordhow Annown. Ha
dhodho ev yth esa fenten y'gan pow ni, may fydha an dowr ow perthi
vertu down. Owth eva an dowr may fydha bodi pynnag ow kweles pan-
dra re bia kyns hag ynwedh pandra a dheuva, mes yn peril merwel ow
skonya mones war-yow gans an swynnennow, po ow mones war-yow
yn-re skon.

Orth krowshyns an morow yma Naw Kevrank agan pow ni, hag a'n
le may fydh tus a golonn ow mora dhe beswar bann an bys. Yth yw
henna gwir hedhyw, ha gwir o y'n hen amser ha marnoryon ow talleth
gordhya Manowan Vab Lyr yn duw an Dhegves Gevrank, an Mor. Y
fydh rann ow kortos tramor po war fordh verr po war fordh hir, rann
ow tehweles yn bri ha sowynn, ha rann ow tehweles yn anken hag
ankov. Yn feus po yn anfeus, y fydh an rei re dramoras fest a-venowgh
ow miras yn-tro war hyns aga thrumaj, hag assaya lergha aga fordh
dre'n bys. Ha mar ny vydh gorthep gwiw gans an re erell, traweythyow y
tal troesya an tres dhe Fenten Feryl, ha pysi an bardh delbenn na a
swynnennow a'n kreun eno.

A long time ago there lived in Italy a man by the name of Virgil, in the place called Mantua. A poet was he, crowned with leaves after the manner of poets of renown, who sang of weapons and ships, of men and women, and of what would be in the time to come.

Virgil was very learned in the science of enchantment and in prophecy, and he wrote books that give people guidance to this very day. He showed people the way through dark woods, and displayed to them the realms of the Otherworld. And it was he who had in Cornwall a spring whose water bore a deep power. Any person drinking this water would be granted a vision of what had been and what would be, but at the risk of death if they failed to contine drinking the draughts, or took them too quickly.

The Nine Shires of Cornwall lie at the crossroad of the seas, and it is from here that spirited people set sail for the four quarters of the compass. That is true today, and it was true in the ancient time as seafarers began to worship and pray to Manannan, Son of Lear, as the god of the Tenth Shire, the sea. Some of them remain overseas, whether living out their lives there or dying in the attempt, some return in renown and success, and some return in dire need and oblivion. Whether their fortune be good or bad, those who have gone overseas very often do look back on the route of their voyage, and try to trace their way through the world. And if others are unable to supply them with a fitting answer, they tread the path to the Fountain of Virgil, and ask that leafy-headed poet for draughts from the pool there.

Fenten Feryl

Virgl'sFountain

Yn-pell a froth an dygoel,
　　yn mysk an ardhow moel,
yn-yeyn y stif unn fenten
　　lyr ylyn bys yn kreun,
　　　　　　　ha gwrygh an Loer dre'n lyr
　　　　　　　a sudh yn kyr ha kyr.

Dhe'n fenten yeyn y'n deserth
　　y klofav vy y'm kerth
ha pysi Feryl dhelbenn
　　a swynnenn a y geug prenn,
　　　　　　　unn swynnenn lan heb stronk
　　　　　　　a wlygh peub krinder lonk.

Ha'n bresel yn y worfenn,
　　pan dheu an gas dhe-benn,
py edhomm vyth a'n kasor,
　　py res vyth war neb kor?
　　　　　　　Yth eth tus vro dhe-skwith
　　　　　　　a y govow trosek brith.

Gans ughel ha gans isel
　　pub dydh y hwilav hwel:
yn tavern hag yn eglos,
　　orth men ha meynk ha moes
　　　　　　　y tevyn kyrow skov
　　　　　　　yn-town yn dor ow hov.

Ankevi my a'n assay
　　yn tavern ryb an kay
tros taran ha losk lughes,
　　lagasow own a-les:
　　　　　　　orth diwbalv igor ben
　　　　　　　ow solsow lows a len.

4

Far from the turmoil of the feast,
   among the treeless heights,
a certain fountain gushes coldly
   clear water flowing to a pool,
            and sparks of the Moon through the flowing water
            sink layer by layer.

To the cold fountain in the wilderness
   I stumble as of right
to ask of leafy-headed Virgil
   a swig from his wooden drinking-bowl,
            just one untainted draught
            to slake the dryness of my throat.

When the war is ended,
   when the battle ceases,
what do we need of the warrior,
   what is his use at all?
            The people of the land grow weary
            of his noisy recollections.

Among the high and low
   I look for work:
daily in tavern and in church
   at stone and bench and table
            I would touch rich layers
            deep in the earth of my memory.

In a tavern by the quay
   I struggle to forget
the noise of thunder and the sear of lightning,
   fearful eyes wide open:
            my loose shillings cling
            to a maiden's open palm.

Ottomma, a dus vryntin,
   ott dhywgh, a bobel fîn,
an re na res ankovsowgh,
   re golonn ha brys trogh:
            kepar hag ydh'n y'n prysk,
            ymons hwath y'gas mysk.

Yn romow tewl yth evons
   dre'n geskan ha dre'n dhons,
gans kothman ha gans keswest
   yn goel ha fer ha fest
            mayth a ow dydh dhe nos,
            may koskav war an ros.

Y sev an hen bennkervys
   y'n gorflann, yn sorn klys,
war leghenn las y'n eglos
   ott henwyn mus yn-oes,
            ha lent y koedh an neus
            a'n vaner goth y'n skeus.

Ottomma vy, unn nosweyth,
   ha'n stretow'n-kler ha breyth,
yn-leun a venestrouthi,
   kan, salus, hwardh, ha kri,
            ow pagla'n-tromm a-res
            a hudh an routh a y res.

Yn kres knowwydhek dhelvyw
   kollbrennyer byth na wyw
a dovas y'n hen amser
   a gnow a goes an ster:
            yn-ylyn y lemm dowr
            leun vertu ha leun powr.

6

Here are, O noble people,
  here you will find, O fine folk,
those you have forgotten,
   those of broken heart and mind:
            like birds in thickets
            they are still among you.

Drinking in gloomy bars
  amidst the chorus and the dance;
in festival and fair and feast
   with friends and fellow-topers
            my homeless day becomes the night,
            and I will sleep upon the heath.

In the graveyard, in a sheltered corner,
  stands the ancient figurehead
and speechless names adorn
   the blue slate in the church forever,
            and slowly fall the threads
            from the old standard in the shadows.

Thus I find myself one evening,
  on the bright and multi-coloured streets,
full of instrumental music playing,
   songs and greetings, laughter, cries,
            suddenly fleeing by compulsion
            from the merriment of the throng.

In a grove of nut trees, living-leaved,
  of hazel trees that never wither
that grow from ancient time,
   kernels from the forests of the stars:
            leaps transparent water
            full of strength and power.

An neb a dheu dhe Feryl,
  dh'y wobans y'n gwydh kyll,
an neb a ev a'y fenten,
  po swynnenn goeg po leun,
          a'n jevydh pols gwel glan
          dre'n oesow oll a wan.

Yn sketh heliys marnor,
  yn gwisk pluw frank an mor,
dhe vester hus ha haloen,
  dhe ser mil hwyster soen,
          kepar ha skommenn dreth
          yn-tifreth my re dheuth.

Tri govynn ev a's govynn
  pan dhov dh'y wobans ynn:
ow hanow gwir ha'w myster,
  ha'w desir drudh ha ker
          rag eva vertu men
          a'n fenten bever yeyn.

"Key ov, gwas a'n mor difeyth,
  trummaja'n-pell ow gweyth,
ha kedhlow sur y's hwilav
  a voren geder vrav
          a geris nans yw oes,
          ha'y hireth hwath mar boes."

Ha'n del a wydh or Annown
  a-dov a wreydh klor down
a-dro dh'y benn, ott Feryl
  ow styrya, "Gwel an kyll
          a dev war lannow'nn greun
          a lyr ken bys yn-leun.

Whosoever comes to Virgil,
  to the hollow there among the hazels,
whosoever drinking from his fountain,
  a meagre swig or healthy draught,
            shall have a moment of clear vision
            that penetrates across the ages.

In the salt-stained tatters of the sailor,
  in the costume of the free parish of the seas,
to the master of magic and alchemy,
  to the artificer of a thousand whispers of enchantment
            like a piece of jetsam
            feebly I have come.

When I visit his narrow little hollow
  three questions he asks of me:
my true name and my calling,
  and the most precious object of desire
            that I might drink the visionary power
            of the glistening fountain.

"My name is Kea, a fellow of the high seas,
  my work to voyage far and wide,
and I seek news
  of a fine fair maid
            whom I loved long ago,
            the yearning for her still so heavy."

With leaves about his head
  from trees from the margin of the Otherworld
that grow from cool deep roots,
  thus Virgil speaks: "See the hazels
            growing on the pond's bank
            full of flowing water from that other place.

"Dhe'n dowr pan goedhas kollenn,
    dhe'n lyr dri blas a'n prenn,
teyrgweyth res terri syghes
    war-nug, poneyl y res
                dha hodhel bys dh'y fin
                a skonder delenn grin.

"A dhel re blethis kurun
    yn golow kann an Lun,
ha gavel dhymmo danjer
a gerth kordh oer an ster
                war vu pub hedhyw lomm
                yn-dann an ebron gromm.

"Pub hedhyw yn oes Norvys,
    pub hedhyw les-ha-hys,
pub de oll yn y hedhyw,
    ha pub avorow byw
                a derr pub syghes kras
                a lyr a'w skudell vas.

"Res dhiso lowa ommaj
    dhe boell ha kur ha rach;
mantolya gwra, dhymm musur
    a vo dhis hwans yn-sur
                igeri'n porthow down
                may tewreg joy hag own.

"Heb hokkya dhymm nag ervir,
    dha syghes dhymmo styr,
dha hyns pub kamm dhe'w gobans,
    ha tardhla down dha hwans!"
                "A'w bodh y styryav dhis
                ow hyns dhe'th tu dre'n bys.

"There falls into the water a hazel nut,
   bringing the taste of hazel to the flowing water,
you must drink three times
   without hestitation, or you will run
                  your lifespan to its end
                  with the swiftness of a shrivelled leaf.

"I have made from leaves
   in pure-white moonlight,
assuming jurisdiction
   of the ice-cold kingdom of the stars
                  over every unadorned today
                  under the curving sky.

"Every today that ever was,
   every today in length and breadth,
every yesterday in its today,
   and every living tomorrow
                  that quenches every parching thirst
                  with flowing water from my shallow bowl.

"You must defer to reason,
   responsibility and care,
weigh up and measure out for me
   if your desire is true enough
                  to open the deep portals
                  to the flood of fear and joy.

"Do not decide impulsively
   explain your thirst for understanding,
and recount your every step unto my bower,
   and the deep source of your desire!"
                  "Gladly I will explain to you
                  my journey through the world to you.

"Orth dalleth glan an bresel,
    hwath kro an krow war wel,
y keris a leun golonn
    un voren vleudh hy bronn,
            hy hara'n-roedh ha skav
            un dohajydh y'n Hav."

"An voren mars y's kersis,"
    y'n medh ev, "pandr'o pris
dha drummach fers dhe'n downlas?
    Py wobern o mar vras
            rag gasa ben, heb lay
            yn oelva war an kay?"

"Yth esa gorwalgh warnav
    a'y owrwols ha'y fass vrav,
heb pysi ha heb govynn
    may ledris byrl hag amm,
            ha skapya my a'n gwrug
            dhe'n flour yn fisten fug."

"Dehwelys bys yn tiredh
pan eses," dhymm y'n medh
an soenor, "prag a-dhehwans
    yn gwel ha pras ha pans
            na holsis lergh dha ven
            yn stret ha plas ha plen?"

"Es lowr yn eur an glori,
    re roedh y'n klos ha'n bri,"
y'n styris, "yth o ervir
    dilesel kov ha styr
            pub hanow ha pub ger
            yn tervyans foll an fer.

"At the very outset of the war,
   blood still fresh upon the battlefield,
I loved with a full heart
   a soft-breasted maid,
               an uncomplicated love
               one afternoon in summer."

"If indeed you loved her,"
   said he, "what was the worth
of your tumultuous voyage in the deepgreen sea?
   Was the reward so great
               for you to quit her
               in lamentation on the quay?"

"I had a surfeit
   of her golden hair and comely face,
and without so much as asking
   I stole a kiss and an embrace,
               and got away
               to the deck in a show of haste."

"When you returned to land,"
   the enchanter said to me,
"why did you not
   in field and meadow and hollow
               look for a sign of her
               in street and palace and playing-place?"

"Easy enough in the hour of triumph,
   too easy in the glory and renown,"
I replied, "was my choice
   to cast off memory and meaning
               of every name and every single word
               in the madding turmoil of the crowd.

"Y'n gobons pols y hwelis
   yn-roedh ha skav ow gis,
ha gwevya war-vin karlamm
   ha dhedhi hwytha amm
                ha fyski'n-dann an flour
                dhe vysk an wesyon dhour.

"Pan goedh pub goel a'n dele,
   pan vleujyow gwernow'n-fre,
pan wonidh derag ewon
   a-dhowdu saldres ynn,
                has boll gwanegow meyn
                a les y'n glaskroft yeyn.

"Re dhew flowr hel an vorwer,
   Manowan hweg Vab Lyr,
ha ren y bedrenn dheghow
   y lighis heb unn gow
                del vien marnor gwir
                bys troesya arta'n tir.

War did an keth gorthugher,
   a-dreus an lyr a ler,
y foris y'n lu-lestri,
   koes gwernow war an li':
                a-dro dhe dro yn-tromm
                yth hartha kanvas kromm.

"Yn goelyas po yn powes,
   heb gwyns vyth po a-dres,
yn helghyans po kevammok,
   yn lewgh po niwl po mog,
                ott ayr ow perthi powr,
                ha trumm owth aras dowr."

"On the gangway for a moment
  I turned in an unaffected manner,
about to break into a run
  and blew a kiss,
            and hastened down below
            to be with my valiant companions.

"When sails drop from the yard-arm,
  when masts blossom freely,
when the bow sows foam
  on two sides of a narrow salty furrow
            translucent seeds of mighty breakers
            put forth shoots in the cold green fallow ground.

"By the transcendant god of sailors,
  sweet Manannan, son of Lear,
by his right buttock,
  I swore without guile
            that I would be an honest sailor
            until I trod upon the land again.

"On that evening's tide,
  across the sweeping flowing water
I set sail in the host of ships,
  a forest of masts upon the flood:
            from time to time sharply
            billowing canvas barked.

"On watch or at rest,
  without wind or under weigh,
in pursuit or in engagement,
  in mist or fog or smoke,
            here you will find air bearing power,
            and keel ploughing water."

"Mes lemmyn dhymmo lavar,"
 y'n medh an prydydh hwar,
"py eryow hweg a'th foren
  a wre kov aga doen?"
            "Ger diblans vyth y'n bys,"
            y'n medhis, "'dho dhe'w brys.

"Skeus gwen orth amal hunros,
  lev klor yn spavenn vros,
anadhla tewl war gonna,
  ayr nos yn-kriv pan a
            dre we lovanow tynn
            dhe ganvas poes a rynn.

"Degh, hedhyw, hag avorow,
  gwern, goelyow, flour, korf kow,
trumm syth, hag estyll gwastas,
  prenn kromm, topp, dele, stras:
            yn burdhen meul ha marth
            y sonons i war-barth.

Y sen pub prenn ha lovan,
  pub kentrenn oll a gan,
y hwers klegh glan pub goelyas
  a'n topp dhe buth an stras,
            desedha kovow pell,
            kompesi hireth fell.

"Ethweyth yn-lel y feulir
  y'n woelyas Mab gwynn Lyr,
gans klogh a gan y Ofig
  a daves olkan strik,
            ha 'dhyn, merwelyon wann,
            an gorwel yw y lann.

"Tell me now,"
  said the urbane poet,
"what sweet words from your amour
  did you recall?"
                    "No exact word in the world,
                    said I, "did come to mind.

"Shadow of her slight smile at the edge of a dream,
  cool voice in boiling-hot calm,
dark breaths on neck,
  air of night when it goes
                    through a taut web of ropes
                    into heavy shivering canvas.

"Yesterday, today, and tomorrow,
  mast, sails, deck, hollow hull,
straight keel, and level planks,
  curved timber, crow's nest, bilges:
                    in a chorus of praise and wonder
                    joined together.

"Every timber and rope resounds,
  every single nail sings,
clear bells versify each watch
  from the crow's nest to the pit of the bilges,
                    placing in order distant memories,
                    resolving cruel longing.

Eight times faithfully in the watch
  the blessed Son of Lear is praised,
by a bell that sings his Office
  with a nimble metal tongue,
                    and for us, poor mortals,
                    the horizon is his sacred enclosure.

"Yn goelyas lent an pervedh,
  an ster may syger tredh,
a-dro dhe dhew ons bakka
  yn-terghys a bleg da,
        y trovyis lyther sergh,
        ger galar kolonn vyrgh.

"Y trovyis ger darbarvamm
  yn dornskrif moen hwymm-hwamm,
dh'y heryas pell kri yeunes
  dre dhagrow, ha may pes
        a hanow gwiw gwreg vas,
        dh'y baban hi, y das."

"Ha henna dhis o skila
  yn aswels tromm dha fe
ervira re sergh nowydh
  dhe'n ven re th karsen'n rydh?"
        "Fe? Sergh? Mann war neb kor
        yn mysk freuth freth an mor!

"Ha'n dornow war unn lovan,
  ha'n levow yn unn gan,
ha'n lester a-lamm dre'n myttin
  hag askorn yn y vin,
        gwir vreder len yth en,
        un golonn vras heb ken.

"Pan dreussyn an Kehysedh,
  dhe'n Deghow larj a'n Kledh,
yn gordhyans dhe Vanowan
  y hwrussyn dons gans kan
        yn-feri war an flour
        lomm lollas gans pub gour.

"In the sluggish middle watch,
  when stars flow slowly through the sky,
I found wrapped round two ounces of tobacco
  twisted with a good fold
          a love letter,
          a cry of pain from a girl's heart.

"I found the word of a mother-to-be
  in a thin unsteady hand,
to her absent sweetheart, a cry of longing
  through tears, in which she begged
          the worthy name of an honest wife,
          and for her baby a father."

"And was that your only motivation
  a sudden rekindling of your faithfulness
to give new love
  to the girl who loved you unreservedly?"
          "Faithfulness? Love? Not by any means
          among the swift-moving turmoil of the sea!

"When your hands were on the rope,
  and voices melded in one song,
the vessel leaping through the morning
  as if a bone was in its mouth,
          true loyal brothers
          with one great heart were we.

"And crossing the Equator
  to the ample South from North
in worship to Manannan
  joyfully we danced on deck
          to a song
          with tots of rum for every man.

"Manowan ha'y dhiwbedrenn
   y's sakryn oll yn tenn
leun vertu flowr an lollas,
   oferenn pluw'n woen las,
            ha gordhyans gwynn Mab Lyr
            a selow kig an wyr.

"War-bols yn gorboell tewedh,
   mar hweg del via bedh!
Hag ena, klor a spavenn,
   na dheffo byth dhe-benn!
            Y tyll an mor pub lev
            hen Ifarn dhown ha Nev.

"Yn-poes y kilya gwynsnerth
   a vur an alsyow serth,
ha teghi'n-hworth a'n ammuk
   an lyrow lymm a wrug,
            hag eskern fethys keth
            a skolkya war an treth.

"Treth hirlomm po als dornwynn
   karn, ynys, porth, po rynn,
lyr loeslas bys dhe'n gorwel,
   po jorna yn-dann sel
            hen vesont skon a deudh:
            war-yow ni a'a heb keudh –

"– heb keudh vyth, lemen browagh,
   ha goli, kreyth, ha kragh;
ot korf ha korf yn kanvas
   a lag dhe vedhros las:
            keudh vyth oll, lemen euth,
            ha moredh fell a veudh.

"By Manannan and his two buttocks!
   We consecrate in a draught
full of the sublime power of rum,
   the Communion of the green down's parish,
            blessed protection of the Son of Lear
            will save the flesh of men.

"For a moment in the frenzy of ill weather,
   how sweet would be a grave!
And then, a calm so sweet,
   if only it would never end!
            The sea gives forth the voices
            of ancient deep Hell and Heaven.

"Reluctantly the wind draws back
   from the wall of the steep cliffs,
and retreats sulkily from its parapets
   and the sharp flowing waters,
            and enslaved defeated bones
            lurk on the beach.

"Long bare beach or white-fisted cliff,
   rock, island, port, or promontory,
greygreen flowing all the way to the world's end,
   or the day sealed
            by an ancient bezant that quickly melts:
            forward we go unburdened by melancholy –

"– without melancholy, but with terror,
   and wound, and scar, and scab;
here body after body in canvas
   splashing into a greygreen cemetery:
            not melancholy for sure, but horror,
            and a cruel grief that drowns.

"An bel horn pan dremenas
a doeth hy skrija kras,
py rag y'n bys ow howeth
y'm kibyas yn hy gweyth
ha'w gasa vy a'w sav
heb gonis tos na thav?

"Y frosa lanwes bresel
a-dreus goen las an gwel,
mil dhydh a derdhy'n-fuskog
yn-leun a sorr ha mog –
ha dh'eneb lyr y pig
an skommow prenn ha kig.

"Y hwywa liwyow baner,
dhe'n mor y koedha ster,
y kelli'n howl y vertu,
dh'unn lester yth eth an lu:
kenkres a gibya meth
a'n skommow war an treth.

"Ha prag na dheuth glan diwedh
dhe'n bresel?" dhymm y'n medh
an mester soen ha gramer,
"ha hwi yn down a hwer?"
"Pan e unn lu dhe-goll
ott onan nowydh-oll!

"Ott onan nowydh-flammow,
gwydh koes dhe gaskorf kow
ow kemma'n-sleygh dre bystri
an nedhev, hesk, ha li',
dre vertu tewl an pyg,
gwydh stowt dhe lestri strik.

"The iron ball sped past
  with a scorching scream.
Why in the world did it snatch
  my comrade in its progess
              and yet leave me
              with neither glance nor touch?

"The high tide of war flooded
  across the green down of the battlefield,
a thousand days broke out in madness
  full of smoke and anger –
              and on the face of the surging water
              floats debris of wood and carrion.

"Colours of flags would fade,
  and stars would fall into the sea,
the sun will lose its power,
  the fleet become a single vessel:
              crabs snatching nourishment
              from the wreckage on the beach.

"And why did the war not end then?"
  the master of sorcery and enchantment
said to me, "with everyone
  in such distress?"
              "When one fleet is lost,
              behold a new one is provided!

"Here is a flame-new fleet,
  trees made into hollow battle-hulls
transformed through the magic
  of the adze and saw and file,
              through the dark power of tar,
              steadfast trees turned into nimble vessels.

"Dre lu hwath ha lu-lestri,
   dre daran-gonn ha kri
y skrudhyn yn-unn wortos
   kevammok dydh ha nos:
               gwynn bysyes war bub dorn,
               divlaster, torn-ha-torn."

"Gorholyon bryntin nowydh
   dhe'n Dug war-gamm a vydh,
mes ny yll lest'r omlywyas
   a'n porth worth tu ha'n gas:
               meynya fatel wra
               y lestri stowt ha da?"

"A worhel, lies besont
   a y gist an Dug a'n gront
ha'n gwydhow stowt a dremen
   ow tevi moy es reyn:
               a'n arvor prest pub Hav
               ot yowynkoryon vrav.

"Dhe bluwyow'n Dhegves Gevrank
   an wesyon ma a stank
ha dyski agan rannyeth
   a daves gwynsow leyth,
               ha'n kres ni i a's dysk,
               fydh goelan, goemmon, pysk."

"Leverel dhymm dha grysyans
   ty gwra, dha goelow sans –
meneges, mars eus kummyas
   ri kows heb kamm na bras,
               diskudha pandr'yw feus
               an re a gil dhe'n skeus."

"Through fleet after fleet,
   through gun-thunder and cries,
we shiver in expectation
   of an engagement:
            white fingers on every hand,
            and boredom, turn by turn.

"New noble ships
   will rightly be the Duke's,
but vessels may not steer themselves
   from harbour to battleground:
            where does he find the crew
            for his stout and worthy ships?"

"Many bezants for a ship
   the Duke supplies from his war-chest,
and the sturdy trees spend
   more than a reign in growing:
            from the coastland every summer
            behold the brave young fellows.

"To the parishes of the Tenth Shire
   these fellows tramp
and learn our dialect
   from the tongue of damp winds,
            and our belief they learn,
            the faith of seagull, seaweed, fish."

"Tell me your religion,
   your most cherished holy creed –
if it is possible
   to speak without deceit,
            reveal to me the fate of those
            who pass into the shades."

"Ni neb a wordh Manowan
    yw gwesyon dhuwgar lan,
y hanow war a'n taves
    yn howlwynn hag yn skeus,
                ha ren y bedrenn gledh!
                Y'n holyn bys min bedh.

"Y hwodhyn del ren aberth
    war donn, po war als serth,
po war gerregi yeyndhans
    dhe'n duw, Manowan sans:
                dhyn devar yw ha charj
                gul sakrifians larj.

"Y hwodhyn pandr'yw kolles
    an re a vor yn gres,
y hwodhyn pandr'yw gobern
    an re re gramblas gwern,
                y hwodhyn pyw a vyw
                a'n re re dhyghtyas lyw.

"Y hwodhyn pan fin morwas
    war glunow'n goenow glas,
y'n keynvor po y'n ardir
    pan vor ev war fordh hir,
                del wib yn edhen gwynn
                war lyr ha logh ha lynn.

"Y hwib war erow'n lanwes,
    war gever tryg y res,
war garn ha kleger yn-euver
    y hwil powesva ger,
                ha klowtya pols yn hwans
                neb argel war an bans.

"Those of us who worship Manannan
  are truly godly fellows,
his name on our tongue
  in bright sunshine and in shadow,
       and, by his left buttock!
       we shall follow him to the very grave.

"We know that we give sacrifice
  on wave, or on steep cliff,
or on cold-toothed rock,
  to our god, holy Manannan,
       for us it is a duty and an obligation
       to make this sacrifice.

"We count the loss
  of those who zealously set sail,
we know the sacrifice
  of those who climb the mast,
       we know who lives or dies
       of those who hold the helm.

"We know that when a sailor meets his end
  on open meadows of the greygreen downs,
in ocean or in coastal waters
  when he sets out upon his final journey,
       that he will fly as a white bird
       on flowing water, lake or sound.

"He will fly on the great acre of the high tide,
  on the little acre of the ebb,
on rock and scarp in vain
  he will seek a resting-place
       and roost a while in yearning
       for a high place of refuge.

"Yn pysans, gordhyans, devos
  Manowan, hag yn klos,
a drovsis jy ombreder
  yn golow bleudh an ster?
            Py skryptor dhis a veu
            gedyador fur ha ku'?

"Yn goelyans down an pervedh,
  kans kov may syger tredh,
kevynnow 'dho yn deray
  a'n voren war an kay,
            a'y min liw syvi kro –
            (hy hanow dhymm p'an dr'o?)

"– a'y smodhwols liw dergh drudhvoen
  ha sawarn skav an foen,
dowaval hweg dh'y diwvogh –
  mes tromm y sonas klogh,
            ha'n morlewgh kann yn-strik
            dre dewolgow pals kor pyg.

"Skwith lemmyn yw tus davern
  a govow koth na vern,
a'n hwedhlow klywys milweyth
  a lovan, lown, ha kreyth,
            a gampow gwesyon dhour
            ha'n boen yn kolonn wour."

"Bardh en: darganow lemmyn
  a'w holonn prest a sen:
avorow, trenja, tradow,
  y's dythyav heb unn gow:
            lavarow hudh ha guw
            tus-jentyl ha tus-bluw.

"In prayer and practice in the worship
   of Manannan
did you find reflection
   in the soft light of the stars?
               What was the wise and kindly
               scripture that you used for guidance?"

"In the depths of the middle watch
   where a hundred memories flow slowly,
recollections of the maiden on the quay
   came in confusion,
               her mouth the colour of fresh strawberries –
               (what was her name exactly?) –

"– of her smooth hair the bright colour of precious ore
   and the elusive scent of new-mown hay,
her cheeks like two sweet apples –
   suddenly a bell rang
               and the pure-white sea-mist nimbly
               pierced the thick and tarry darkness.

"The people in the tavern tire
   of jaded memories,
stories heard a thousand times,
   of rope and blade and scar,
               of feats of dashing lads
               and pain in manly hearts."

"I was a poet: now it is prophecies that flow
   from my heart unceasingly
tomorrow and the next day and the next,
   and I will recite them faithfully,
               observations of merriment and woe
               of both the high-born and the low.

"Res eva bys y'n godhes,
    po bedh hwaré dha feus,
ha'n pyth a welydh hedhyw,
    avorow ty a'n byw."
                "Ny vern: po joy po grev,
                na fors: dowr my a'n ev."

An lester prenn y'n lenwys
    a dhowr an fenten wrys,
ha swynnenn my a's evas
    a'n skudell dewlbrenn vas,
                ha pub tra oll re beu
                a dheuth y'm gwel ha'w vu.

Y hwelis howl ha hoelan,
    y klywis kri ha kan,
y hwelis geni'n rosenn,
    y klywis mernans prenn,
                y hwelis hyns an bleydh,
                y klywis kows an gwreydh.

Y hwelis ow haradow,
    dowlagas rudh ha kow,
losk asper yn pub dagrenn,
    houlow a'n leur dhe'n nenn,
                ha gwres hy hroghen bludh
                a sordyas edrek kudh.

Y's gwelis, hag yn tristys
    a nell oll korf ha brys
dhe'w hwegenn my a 'grias
    orth hy galarow kas,
                ha poen hy thremm a dhew
                dre'w lagas bys dhe'n byw.

"You must drain this cup to the dregs
  or before long the grave will take you,
what today you witness
    tomorrow you will encounter."
                  "It matters not, neither joy nor pain
                  is of account: water I shall drink."

Virgil filled the wooden vessel
  with water from the crystal spring.
I took a draught
  from the shallow dark-wood bowl,
            and everything that ever was
            came to my sight and inner vision.

I saw the sun and salt,
  I heard songs and exclamations,
I saw a rose born,
  I heard a tree's death,
            I saw the path of the wolf,
            I heard the speech of roots.

I saw my beloved,
  red- and sunken-eyed,
her every tear searing,
  sobs that filled the room,
            and the warmth of her soft skin
            kindled my buried remorse.

I saw her, and in sadness
  with all the strength of body and mind
I cried out to my sweet one
  against the suffering of her spirit,
            and the pain of her expression burns
            through my sight into my very being.

Y'n hwystras Feryl dhinamm,
  "Ke lemmyn war dha gamm,
delasya pols rag kuntell
  a-nowydh fors ha nell,
          po skalsyans ty a'n kyv
          a lenki'n dowr klor kriv."

Mes seul a-brys unn debron
  a lera'n-slynk ha skon
dhe'w lonk, yn-sur, ha'w ganow
  a-les dhe'w rannow kow,
          ha sordya edhomm hwers
          kollenki arta'n-fers.

"Ha fatel wonn, mars evav
  orth poen ow holonn glav
dhe'w fervedh down na dhever
  dowr hwath dhymm hwath a hwer?
          Py boen dhe'w hneus a vrath
          pan lonkav swynnenn hwath?"

"Ny wodhes, ny wodhvydhydh
  py boen war gof ha lith,
py wuw war vrys ha kolonn
  a goedh fors feus pan vrenn,
          mes eva'n skav ty gwra
          poneyl dhe-goll ty a."

Mar gras yn-tromm ow syghes
  ma kibyis vy y'm gres
ann keuk a dhorn an soenor
  ha lenki'n-kraf ow hor
          may hwelis oll y'm gwel
          ann welesigeth fel.

32

Incomparable Virgil whispered,
  "Take it easy,
hold back a while to gather
  fresh energy and vigour,
        or the cool raw water
        will surely burn you."

But a pricking had already
  begun to scour
my throat, my mouth,
  and my whole body,
        making me crave
        one desperate draught.

"And how can I tell, if I drink
  to ease the pain of my sick heart
that water will not seep into my guts
  and injure me?
        What suffering will bite into my living flesh
        if I swallow another draught?"

"You do not know, you will never know
  what pain in body or limb,
what woe in mind and heart befalls
  when that power takes the helm of fate,
        but drink swiftly
        or you will be lost."

A parching came upon me suddenly
  and I snatched in fervour
the drinking bowl from the enchanter's hand
  and swallowed greedily,
        and my sight was filled
        with the cunning vision.

Y hwelis ow haradow,
  pever lagasow dhew,
nell nowydh yn hy hammenn,
  hag ughel hardh hy fenn:
          a-barth dhe biw yn sorn
          a gil hi, dorn yn dorn?

Y hwelis war hy diwskoedh
  bregh neb a sordya oedh,
y anow dh'y min melys,
  ha'y vysow war hy bys:
          dre'n routh a lenwy'n lann
          y kerdhens myttin splann.

Y hwelis ow haradow
  a'y esedh worth tan glow,
hy sell yn mysk an regydh
  yn-pell flamm vyw na's gwith:
          ha sawarn yr hy gols
          a'm fethas yn unn pols.

Y hwelis ow haradow
  orth peber yn y grow
rag dewis torthow krogras,
  ha ryb hy thu, hy gwas –
          ha gwynn ow bys, an tan
          a'm loskke'n-hyllys glan!

Y's gwelis worth hy oeles,
  freudh hudhik fest a-les;
y klywis gwersyow nosfresk
  ha'y dorn war ammal lesk:
          yn bagh a'y lowarth ynn
          ternos y leski hwynn.

I saw my beloved,
  her two eyes shining,
a new firmness in her step,
  her head held high and bold:
      but who is her companion, hand in hand,
      in the secluded corner ?

I was jealous when I saw
  his arm around her shoulders,
his mouth on her sweet lips,
  his ring upon her finger:
      through the crowd that filled the churchyard
      they were walking one bright morning.

I saw my beloved
  sitting before a fire,
her gaze studying the embers
  where no flame lasts for long,
      and the fresh scent of her hair
      overwhelmed me in a moment.

I saw my beloved
  facing a baker in his booth
choosing fresh-baked loaves,
  and by her side, her husband –
      blessed would it be
      for fire to burn me to a cinder!

I saw her at her hearth,
  in a merry turmoil;
I listened to night-fresh verses,
  her hand upon a cradle;
      in a corner of her narrow garden
      tomorrow she would be burning weeds.

Y's gwelis, tro, y'n gentrev
    dre stretynn kul a'y stev;
y's klywis yn Oferenn,
    ha'y han a joy a'y fenn:
                yn goskeus delyow'n der
                y tewli greun dhe'n yer.

Dre'w hneus, y res loskyjyon,
    dre'w gwythi, tan a boen,
ow thaves yw avlavar,
    a gows ow min yw gwar:
                a dheltu tebel hus
                an edrek tromm a'm mus.

"Seweni 'wrug hi hebov,
    ahanav ny re brov,
hy holonn yn gwedh bynag
    a'n bryw ha'n greyth yw gwag,
                ha wosa'n dagrow oll,
                ow helli nyns yw koll."

"Yn mingamm hag yn minhwardh,"
    y'n kewsis ow hen vardh,
"y stiv pub stredh a'n fenten
    a'y hyns dre gors ha keun;
                dhe'n ryver y fydh gwell
                kogrenna'n-hweg ha hyll."

Ow' rynni'n-hwoedh yth esov
    konvydhyans pan y'm trov,
y'm kemmer yn y avel
    fors fell ow fara gwall,
                ha nell hy ankov yagh
                a'm reg dhe gig ha kragh.

I saw her then about the neighbourhood,
   dashing through a narrow lane;
I heard her at Mass,
   her song spilling with joy:
               in the shelter of oak leaves
               she threw grain to the fowls.

Through my flesh runs searing pain,
   through my veins a burning like a living thing,
my tongue is inarticulate,
   my lips unsullied by speech,
               the inner power of sorcery
               strikes me dumb with sorrow.

"She prospered without me,
   she does not give me a single thought,
her heart is empty in every chamber –
   of pain, unbruised, unscarred,
               and after all those tears
               it is no loss to lose me."

"In sadness and happiness,"
   spoke my ancient bard,
"every spring rises from its source
   as it passes through reeds and rushes;
               it is better if the river's course
               meanders sweetly and slowly."

I shiver violently
   as I begin to comprehend my failings,
and I am gripped
   by the cruel force of my behaviour,
               and the passion of her healthy disregard
               tears me into open sores and wounds.

Arta 'th ynklinyav skudell
  erbynn ow syghes fell,
men y lonkav an swynnenn,
  kowllenki'n-kraf an tenn:
        pub kav, pub sham, pub keudh,
        pub edreg, my a's beudh.

Y hwelav y'n kendowrow
  a val pub als dhe row
dre'n nos ha'n niwl ott ynys
  yn-hons dhe lann ha lys,
        heb porth na chi na trev,
        heb kan na ger na lev.

Yth hanasenna tewes,
  yn mall hag ewl ha leus,
rag yeynder beudh an hyli
  yth hunros hag y kri:
        orth diwedh Lun a-vann
        a dhew dre'n niwl pub rann.

A-hys an trethow difeyth
  y hwelis prennyer leyth,
ha skethow kanvas leskys
  a remov byw y'n sys,
        ha min an treth o brith
        a skommow skethrek skwith.

Y klywis klattra bili,
  y klywis kyn ha kri,
hen ydhyn yn tardh kevammok
  orth niwl yn frosow mog:
        y hwelis ewyn vann
        pub tonn yn flammow kann.

And I will tip a bowl once more
  to slake my cruel thirst,
and I will gulp the draught
  greedily: and I will drown
            every care, every humiliation,
            every melancholy, every regret.

I see the meeting of the waters
  that will erode the cliffs to gravel,
through the night and the fog I see an island
  beyond hallowed and worldly habitation;
            with neither harbour, house nor town,
            without a song or word or voice.

Sand was sighing
  in eagerness, obsession and desire,
it dreams and cries out
  for the soft coolness of salt water:
            at last the moon above
            cuts through the fog in every part.

Along the deserted beach
  I saw damp timbers,
and tatters of burnt canvas
  bobbing in the returning waves,
            and the edge of the beach was speckled
            with weary splintered wreckage.

I heard the rattling of pebbles,
  I heard a moan and cry
of ancient birds in bursts of squabbling,
  trailing streams of smoke within the fog:
            I saw the foam on top
            of every wave as pure-white flame.

Y slakkya gwyns ha mordros,
  howl kriv a fesyas nos,
dhe hwyster bleudh hag ydhil
  y fos tros tonn dhe-gil,
          mes ott unn forlenn wynn
          ow kwia kylghow'n-tynn.

Mar ledan hy diwaskell,
  mar dhergh hy gelvin fell,
flamm yeyn yn hy dowlagas
  orth diswayt, poen, ha bras,
          ha forlow gwyns hy nij
          yn keveyl gwyls dh'y'skrij.

Yn-lymm y fira'n woelann
  a sellans golow tan,
dowlagas avél diwflamm,
  ha venym y'ga thremm,
          hy gelvin a re nas
          a'm deghes bys yn bas.

Heb gwarn, hy skrij dibyteth
  ow hlyw ha'w foell a's feth,
ha falsa'n-trogh ow hloppenn
  a fors hy luwngri trynn,
          bodhara klyw ha brys
          a nas a lenow'n bys,

a lenow'n bys, ha stifa
  a'w lonk y'm nell a'n gwra,
ha my owth ayra'n-ughel
  dre'n ebron loes a'w hwel
          war ow diwaskell wynn
          dhe-fo a'w foenow tynn,

Wind and surf were quelled,
   raw sun put night to flight,
the sound of the retreating waves
   fell to a soft and feeble whisper,
               but look, there is one white swirl
               weaving in tight circles.

Its wings so broad,
   its cruel beak so bright,
a cold flame in its eyes
   reflecting disappointment, pain and perfidy,
               the beating of its wings
               a wild accompaniment to its cry.

Intently looked the seagull
   with a fiery light in its gaze,
its two eyes like two flames,
   and hatred in their look,
               and from its beak
               a cry that paralyses.

Without warning, its pitiless scream
   overcomes my sense and hearing,
and seems to split my skull
   with the force of its cutting cry,
               it stops all thought and understanding
               with a screech that fills the world,

that fills the world,
   and springing from my own throat
as I sail high up in the air,
   through the grey sky I turn
               on my two white wings,
               fleeing my torments,

dhe-fo a'n mor ma y nijav,
  dhe-fo a'w hovow klav,
dhe-fo a vordros anken,
  dhe-fo a biw kyns en,
        yn roeth unn woelann yr
        yn danjer down Mab Lyr.

Mes ott ov-vy a'w growedh
  war ow thenewenn gledh,
an skudell wag dhe'w gorwel,
  ha'n bys a-dryv hy hel,
        ha lyrow ylyn glan
        yn-hons dhe gows a gan

"A gothman, tekken powes
  ty gwra, po mann dha les
a berthydh, del lavarav,
  war-lamm mars edh dhe'th sav:
        skon lowr y tedh dhe-well
        dre fysyk does a'w hell."

Yn-kuv y'm gorr hen Feryl
  dhe'm esedh poes mar hyll
ha hedhis dhymm fiolas
  hwythenna may hwra las
        yn-styllys bloedh po diw
        a losow-Loer na wyw.

Yn-arav lowr y sevis,
  kevalsow lows a'w gis,
y'm kolonn yeyn an islonk
  may fyrla kovow stronk,
        kov koth a lies dydh,
        ha kov a'n pyth a vydh.

fleeing from the sea I fly,
   fleeing from morbid memories,
fleeing the plangent sound of tribulation,
   fleeing my former self,
            in the new shape of a gull
            in the deep realm of the Son of Lear.

But now I am lying down
   on my left side,
the empty bowl filling my vision,
   and the world blocked out behind it,
            and the pure transparent flowing waters
            singing beyond speech.

"Friend, for a moment rest,
   you will do yourself no good at all,
to stand up straight away,
   let me advise you:
            you will recover sooner
            with a dark potion from my cell."

Kindly old Virgil slowly
   helps me sit up
and hands me a glass
   of bubbling liquid
            distilled for a year or two
            from perennial herbs of the moon.

Slowly I stood,
   in a loose-jointed manner,
and in my frozen heart the pit
   of poisoned memories embraced,
            old memories of passing time,
            and memories of what will be.

"Py vertu dhymm a reknir
  yn dargan dryflyg lyr?"
y'n medhis, "Ott dha wovynn,"
  y'n medh ev, "Helergh tynn:
            res perthi surneth leun
            rag eva dowr an greun.

"A kodhyen, ny lavarsen:
  ny wonn, ny gowsav ken.
Ty neb a lenk an swynnenn,
  ha ty res evas tenn,
            dre'n tid ha dorn war lyw,
            dre donn ha tonn, a vyw."

Dhe Feryl a y dhargansoen
  yn-kosel gras a woen,
ha vodya 'wrav a'n gwydhbans
  a gerdh na moy yw mans,
            ha holya 'wrav an hyns
            mar boes ma y feglen kyns.

Y troesyav tres an moelardh,
  hyns morrep tid may tardh,
y kerdhav war an bennfordh
  dre bluwyow hwekka'n gordh,
            ha'w fas dhe'n gwynsow gorth
            yn-nans dhe du an porth.

Avorow glan y forav
  yn gorhel stowt ha brav,
yn-hons dhe fin ha goror
  mayth holyav hynsi'n mor:
            ha'n heli'n-pals dre'w goes
            y fedrav gorwel loes.

"What good will the threefold visions
brought by the flowing water do me?"
  I said, "that is the question."
He replied, "Too late:
            you should have settled that
            before you drank the water from the pool.

Even if I knew, I would not tell:
  I do not know, I won't dissemble now.
Who swallows the draught,
  and who has drunk from the source,
            through tide with hand on helm,
            through wave and wave, will live it."

I give thanks meekly
  to Virgil for his prophecy
and leave the wooded hollow
  with a walk no longer lame,
            and follow the path
            where once I used to stumble heavily.

I tread the path of the treeless heights,
  to the seaward limits of breaking tide,
I walk on the main road
  through the country's sweetest parishes,
            my face towards the obstinate winds
            down to the harbour.

First thing tomorrow I set sail
  in a stout and plucky ship,
beyond all borders and marches
  to follow the paths of the sea:
            with the brine in my blood
            I aim at a grey horizon.

Tim Saunders is a poet, author and journalist working in Cornish, Welsh, Irish and English. He is a literary historian and editor of *The Wheel – an anthology of modern poetry in Cornish 1850–1980* (1999) and *Nothing Broken – Recent Poetry in Cornish* (2006). He is the co-editor of the groundbreaking anthology *Looking at the Mermaid: a reader in Cornish literature 900–1900* (2000). His collected works in Cornish were published in 1999 as *The High Tide*. He is a Bard of Gorseth Kernow and a Druid of Gorsedd Beirdd Ynys Prydain.